COLECCIÓN POESÍA

PLAZA JANÉS

Luisa Futoransky nació en Buenos Aires en 1939. Tras realizar estudios de derecho en su ciudad natal, se trasladó a Europa, donde vivió durante cuatro años. Entre 1976 y 1981 viajó por Extremo Oriente: enseñó *régie* de ópera en Tokio y trabajó como locutora y redactora en radio Pekín. Fruto de su apasionada curiosidad por el mundo y por las gentes que lo habitan, su obra está profundamente marcada por un lirismo existencial que se nutre de tres elementos: sensualidad lingüística, una asombrosa precisión verbal y una vocación lúdica que, ejercida en los límites entre la ternura y el desgarro, se centra tanto en la experiencia vivencial como en la del lenguaje. Poeta dotada de una personalidad inconfundible, ha recibido diversos galardones: Premio Fondo Nacional de las Artes (Argentina), el Premio Gules (1982) y el Premio Lorenzutti (1969). Sus poemarios publicados son: *Trago fuerte* (1963), *El corazón de los lugares* (1964), *Babel, Babel* (1968), *Lo regado por lo seco* (1972), *Partir, digo* (1982), *El diván de la puerta dorada* (1984), *La sanguina* (1987) y *Cortezas y fulgores* (1995). Y las novelas *Son cuento chinos* (1983) y *De Pe a Pa* (1986).

LUISA FUTORANSKY

De donde son las palabras

Colección dirigida por
Ana María Moix

Selección de
Ana Becciu

PLAZA & JANÉS EDITORES, S.A.

Diseño de la portada: Marta Borrell
Fotografía de la portada: Stock Photos

Primera edición: enero, 1998

Printed in Spain – Impreso en España

ISBN: 84-01-59016-7
Depósito legal: B. 49.292 - 1997

Fotocomposición: Víctor Igual, S. L.

Impreso en Romanyà Valls, S. A.
Verdaguer, 1. Capellades (Barcelona)

L 59016A

Yo vengo de ahí, de aquellas palabras están hechas y rehechas mis frágiles ciudadelas contra la peste. Están elaboradas de puro *patchwork*: frases, retazos, cosechas vitales, palpitaciones a lo largo y ancho de mis días y mis vías; mis lecturas, en suma, esta vida desordenada, esta poesía que es la mía.

En algún momento hay que admitir que se viene de la cantidad de la palabra y se va hacia la calidad y exactitud de la palabra.

Hoy aspiro, ferviente, ardientemente, porque la sinceridad la doy por descontada, a ir camino de ello sin olvidar las coordenadas tramas secretas de la música interna. Las que se conjugan con las texturas más remotas y arquetípicas de la imagen, esas melodías y armonías sagradas y tan profanas, que nacen del resplandor que abandona el rayo.

La poesía, en suma, como una alquimia precisa que va más allá del misterio y reside donde florece el primer asombro.

L. F.

I. INEVITABLES HISTORIAS

Dama de Amor

A Olga Orozco

de nada valdrán Dama de Amor
los recursos que utilizas para huir de tu reino
porque se vuelven contra ti los artificios que empleas
para engañarte: cuando bebes láudano diciendo con-
vencida «es preciso olvidar» «hay que sumirse en la
zona apacible donde el pulso no sepa de estridencias»
sabes que en realidad bebes de las flores secretas y precisas
que te abren al tiempo minucioso de la memoria de
cada uno de tus escandalosos devaneos en procura de los
pendientes de la alegría los pendientes cuyo reverso es
la tragedia
y que te conminan con el imperio de su mandato al camino de la desventura

es en vano nazarena que cortes tus pelos en menguante
porque sabes que ellos crecerán aún más vivamente al
parir las mareas el jubiloso canto de las ovas recién fe-
cundadas
y te arrastrarás por el légamo del deseo henchida de
presagios

empujada por las locas reinas muertas que te legaron tu
cetro y su figura
la misma que hoy paseas por esta ciudad que tiene la
inocencia de los malvados y el ojo inexorable de los relojes de arena vueltos hacia las sombras

es en vano que prendas fuego a los amuletos o que in-
moles las tórtolas pacíficas para lavar con su sangre tu
corazón y adormecerlo en el altar de la piedra viviente
que dicen puede silenciar los estremecimientos y la fie-
bre porque sólo lograrás que reverdezcan los sarmien-
tos del suplicio y los engranajes en los que desfallecen
las esperas para abrir finalmente el cofre que aumenta
hasta el delirio el eco de los gemidos en todos los lechos
de amor

Dama que tiritas la edad de tu ternura y te escondes en
los valles tenebrosos sabiendo que tus seguidores están
ya a punto de alcanzarte que tú serás la primera en dar
muerte a tu sombra para colgar así el trofeo a la usanza
de los jíbaros en la bandolera de tu ira
corta ya las amarras del navío
el loco furibundo amor hará el resto

(de *Babel, Babel*)

LAS INEVITABLES HISTORIAS DE AMOR

Entre los cristalizados y los frescos
una cuña que se abrirá paso, una dumdum donde
                              [estallarán sin piedad
los todavía no pronunciados adioses
tiempo, el apenas suficiente para entablar un paréntesis
—torrentosa piedra libre a la imaginación del
                              [adversario—,
porque: ¿quién es el extranjero que dormita a nuestro
                              [lado?,
¿en qué idioma desfila su trágica imaginería que nos
                              [arroja,
traducidos con torpeza y ardiente voluntad,
esos huesos carnosos de otras muertes, tierras,
                              [protagonistas y pesares?

la noche está crecida de abandono
los hongos de sus manos vierten cofres y más cofres de
                              [vientos
y más vientos

no hay remitente ni destinatario
para los presentes olvidados en la alcoba de la novia

tampoco en las postales o mensajes de amor
que prefirieron la compañía de algún secreto laberinto:
libros, bolsillos, estantes,
desvanes lacrados añejos de pudor y melancolía
trofeos de caza, de luto o de miseria
suertes inofensivas en la tienda de suvenirs
pero aquí no hay coleccionistas
y los caracoles desgarran la vigilia con baladas, arduas
[historias,
encajes de otras playas, otras voces, otras guerras
—el chasquido de su lengua, señora, si me perdona la in-
fidencia, me recuerda a una dama de Helsinki con
quien tuve el placer de compartir el lecho, un amane-
cer casi tan turbio como el nuestro, un enero del 42.

—su boina francesa, míster, y disculpe la analogía, es
casi idéntica a la que olvidara en Piccadilly a la hora
de adiós, beaujolais, disputas y langosta, un artista
ruso con su misma estrafalaria arrogancia y pro-
nunciación.

y sin otra alternativa, antes de sucumbir a la tentación
[del homicidio
anclamos las uñas en esa espalda forastera, espejo de
[común desesperación

con los muertos dormimos a pierna suelta
y hablamos de más
carece de importancia que nos lleven consigo
que traicionen o no

así, resistimos encallecidos de urbanidad y secretísima
                                        [tristeza
las peregrinas tentaciones del amor
huyendo con el eco fragante del último gemido aún tibio,
desafiante y orgulloso,
que nos perseguirá con su estela de animales míticos
hasta sumergirse por fin
en el temporario olvido de una digna sepultura

(los errantes nos arrogamos cierta impunidad de lengua
y de caricia que lía con más fuerza nuestra casa a la
                        [conspiración de los fantasmas)

a la hora incierta de todo cuanto no hemos sido, somos
ni seremos aquello que se fue a pique, devorado por
                                [tanto debiera ser
y tanta culpa clarea bruma sobre el sudor y la náusea
                                [dulzona de monólogos:
pelos, huesos,
que tierna, definitivamente,
nunca más

es tiempo de ducharse o no ducharse juntos
de fijar un encuentro presuroso en las antípodas
un fin de semana en Australia, Madagascar, Siena o
[Guatemala
temiendo que nuestro poderoso delirio corporice las
[palabras
que no entren en los códigos de sentido, espacio y fe

es hora, míster, que guarde el chasquido de mi lengua
[en el avión
y yo lo salude con esta boina tan francesa, viera usté.

(de *Poemas*)

LOS CUATRO JINETES DEL APOCALIPSIS

mi corazón ha pastado hierbas de todo el mundo
mi corazón ha oído el sonido de una mano
en noches en que le fue quitado el habla por la luna roja
[naranja, azul, blanca
distinguió barcos grandes como cabezas de alfileres
en los confines remotos de los océanos
trepó cuestas y se quitó a tiempo y destiempo las ropas
[interiores

en la meseta de oruro pensó cuándo la meseta de pamir
pero los chinos le dicen ahora que bajar es más difícil
[que subir
y de volver no hablan

mi corazón bebió el vino de esperanza de todas las
[supersticiones
mi corazón querría que cuatro personas
que están en la brújula y son vientos
fueran una para que mi mano les acariciara el rostro
un rostro silencioso, curtido, de ocho ojos
que me dieran lo que hoy sólo me brinda la escarcha

mi corazón querría también bailar un tango
con estos cuatro jinetes del apocalipsis
porque para bailar el tango
hay que tener confianza.

(de *Partir, digo*)

MESTER DE HECHICERÍA

A María del Carmen Suárez

Hay que comer un corazón de tigre joven
para tener afiladas las zarpas;
hay que llegar al centro de la estepa
y cortarle la lengua a un lobo hambriento
para poder hablar con la luna;
hay que peregrinar con los tarahumaras
para ser rico en silencio;
hay que sufrir el celo de todos los animales
para conocer los ritos del amor.

Recién entonces, mujer,
ve al encuentro de tu hombre
y camina a su lado por las estaciones;
no vuelvas la cabeza para llamar a tu inocencia
porque con ella alguien prepara
un nuevo sortilegio.

(de *Babel, Babel*)

TALION STYLE

Si mi corazón fuera de diamante
flor de incisión haría en el tuyo.
(De malviviente a malviviente.)

La indiferencia es un lujo
para el que tendría que nacer de nuevo.
Y ni con ésas.

(de *El diván de la puerta dorada*)

CIRCERÍA

A estos hombres
los transformé en versitos
y los confiné en libros y revistas
porque, con los tiempos
que corren, no es cosa
de andar encima procurándoles bellotas
ni margaritas, para los días
de guardar.

En cuanto al Ulises, ése, de Ítaca,
díganle que de áspides, sapos
y mastodontes como él
tengo llena la sartén.
Además, el juego (circense)
de las resurrecciones
no es más una especialidad mía.
Yo ahora, tejo.
Créanme.

(de *La sanguina*)

PECADO MORTAL

Deseo
el buey,
el asno,
la ventana,
el picaporte,
la toalla que lo friega,
el resto de su plato,
Él; Él, que pertenece
ya,
a mi prójima.

(de *La sanguina*)

VENDETTA

Para darte
flor de susto
me gustaría
disfrazarme
por un rato
de Ángel Exterminador.

(de *La sanguina*)

Razón de anatomía

me he besado con poetas, pintores, cineastas
empleadas, jew princesses, rateros, hippies
ingenieros, tenores, guerrilleros

en mi boca todos los caminos de la vida

es tiempo / de ocuparme de mis pies

(de *El diván de la puerta dorada*)

MASATSUGO

El padre cose kimonos.
La madre trabaja de peluquera.
Masatsugo toca un tambor que se llama *taiko*
y duerme en el suelo del negocio.
La madre ayer llorando le dijo que basta de música
que hay que ganarse la vida de otra manera.
Fuimos al cementerio budista de los samuráis del barrio
a pasear con mi cachorro Tango.
Bebimos saké y nos acostamos.

Lo mejor que tiene es que aun dormido, se sonríe.

(de *Partir, digo*)

PASADAS LAS SEIS

Qué extraña la disposición del tiempo de los hombres!
Las horas del atardecer son para las amantes
a medianoche, cuando las carrozas se vuelven calabazas
regresan estrictos a la mujer e hijos.
El día se lo barren el Estado, los amigos, los negocios.

Jangy o Wangy vienen pasadas las seis.

(de *Partir, digo*)

ORIENTAL, UN DIA

Zobeida tenía hermanas que eran perras y perras que se transformaban en hermanas; Zobeida tenía patio andaluz y forasteros a los que convidaba con granadas en las horas de calor agobiador. Zobeida adelantaba los deseos del amado, diciéndole: —escucho y obedezco.

De mis primos, los narradores árabes, me quedan el amor por las hermanas, los perros y las perras, también por los forasteros y las granadas. De Zobeida adopto la debilidad de esperarte acicalada, enhebrar rosarios con la una, las mil noches y servirte el más gravemente tierno de mis *escucho y obedezco.*

(de *El diván de la puerta dorada*)

ELLA, LA EMPECINADA

Nadie diría
que por una hilacha
empezó la Dama de la Licorne.

Y ya lo ves.

(de *La sanguina*)

ENVEJECIMIENTO

1

Ahora sé que no basta
encontrar una estrella fugaz
o una moneda en la calle

para ganarse el día.

2

Envejesiento
o
¿siendo en vez de siento?

Envezdesiento
igual
a
¿siendo menos siento?

(de *La sanguina*)

II. PATCHWORK

NUEVO BARCO EBRIO

El bajel desliza su respiración por los canales y arterias
de las aguas populosas
el corazón se estremece por las nieblas que no
                                    [comprende
su timón huye según los vientos que le cercan
y confundido abraza cuanta certidumbre cree reconocer
                                    [en la borrasca:
extiende entonces sus manos para apresar el fantasma
                                    [de su primer amor
o las cierra para guardar celosamente un juguete
                                    [descabezado con ternura
y percibe que eso es tan fugitivo como el espectro del
                                    [paisaje
que pretende retener en su memoria.

El bajel está solo con los acantilados que surgen bajo su
                                    [quilla;
a barlovento la ciudad mohosa en el limo de la infancia,
en el norte los pecados capitales incendiados por un gas
                                    [de neón maligno
que ha invadido los bulevares del mar de silencio
hasta ser esa llaga animal y corrosiva que nunca le
                                    [abandona.

Peces de ojos fosforescentes
iluminan burlonamente el desprecio a su esperanza,
hienas marinas aturden el ronco caer de su velamen;
el bajel adolescente ha perdido ya su blasón
y la fe en los augures que le presagiaron
un destino pacífico y honroso.

Sus maderas, antes esbeltos cedros del líbano,
hinchadas y descompuestas,
sirven de balsa en esas aguas quietas y verdosas
a los saurios que saciados e indolentes
descansan de la carnicería.

No hay lugar para el amor bajo los continentes
                                    [sumergidos
y las almas sin reposo de los condenados.

Bajel, cuando llegue la mañana
serás alguien experto ya en la desolación de los naufragios
y la tierra habrá bebido tu inocencia:
la playa donde arribes te tiene reservado
el más cruel de los desiertos
y el más infernal de los silencios;
no vuelvas tu cabeza
porque es en vano que pretendas ayudar
al que a tus espaldas ya emprendió la estéril travesía.

(de *Babel, Babel*)

Restaurante de ekoda

singular hallarse aquí
ante una tevé, un buda con baberito
una pagoda en construcción envuelta en una llovizna
[tenaz y persistente
no una pesadilla, no un sueño renacentista con persas a
[la veneciana
sino madera y agua, agua, tablones y alguna rana
[desprevenida

me han servido ya el pescado crudo que late todavía
y no es ilusión de mi delirio
lo han partido en finas tiras y le han puesto un pequeño
[crisantemo en el corazón
y las flores y las algas le dilatan la agonía
porque la vida, según creo, suele tardar en despedirse

pero yo no he saboreado jamás la sangre del vencido
porque no tengo pasta de vencedora

en un peringundín de la estación ekoda
no sufro por muertos ni por vivos
me levanto, capeo la desdicha
y dejo que la lluvia me destiña, con paciencia

(de *Partir, digo*)

TOKIO HORA ZETA

tal vez todas las horas sean la hora zeta
pasa que a veces uno se da cuenta
no es por alguien, no, que empiezan las re y
[capitulaciones
es por todos
por las veces que uno hubiera querido ser espejo u ojo
[de los otros
—si hubiera sido manos, nos habrían acariciado mejor—,
hubiera querido ser lobo para que mamá no me encajara
[cofia,
frasco de compotas y este susto que conservo todavía
frente a madres, habitantes de los bosques y disfraces
[en general
hubiera querido sobre todo una madrugada romana de
[abril ser vos
para que me retuvieras
o en cualquier tiempo ser un pelo del anular derecho
porque es un buen puesto de observación y se puede
[pasar inadvertido
hubiera querido la barrabasada de ser dios para atender
[mi propia oficina de colocaciones y pedidos
doblar entonces ahora mismo florida hacia paraguay

a la deriva de los encuentros precisos y porteños
cuando todavía creía/mos en la fábula de la creación,
[por ejemplo;
baires no era objeto de titulares en las necrológicas del
mundo y se podía compartir el abrigo de rostros y
[reparos conocidos

quién me ha catapultado tan certeramente en este
[punto final de lejanía

—recuerdo que alguna vez borges me dijo inventando o
traduciendo a un anglosajón delirante como caballo
[sin pasto, o
borges equivocándose de diccionario, que a quien dios
bien quiere lo envía a tierras lejanas; pero después,
[lo hará volver?,
le preguntaría hoy, antes de que se me muriera o se le
[olvidaran página y respuesta—

la noche me cae encima a picos húmedos y tristes
prolija limo las aristas
para que no me hagan mucho daño estos hombres
[extraños
silenciosos o pequeños
a quienes no me preocupo por amar ni menos detestar
les palmeo el hocico como a un animal ajeno

del que no se espera la retribución de la caricia
y el vacío es tal que si lanzo una piedra, digo, yo misma
estoy segura de no oírme siquiera tocar fondo

sola y perdida en medio de interrogantes crepusculares,
                  [tifones y cerezos
sin nadie, vos, que me bese y diga buenos días
y sin embargo, ahora que la cultura de la vida me ha
                        [enseñado
el muestrario más amplio de suicidios y suicidas
no me decido por ninguno

a sabiendas que no puedo remontar el arcoiris
que carezco de un remoto mapa del tesoro
para que al menos los descubridores se lleven el gran
                        [chasco
y sólo tengo un saco de papeles viejos que no sirven
                        [para nada
aquí, lejos de la ciudad que guarda mis humores de vivir
el signo de infinito me crece sin conventos de posesas
                        [en ludún
si supieras/que de día me anochece
que flaqueo
que después de dedicarte este *velorio del solo*
me dispongo, Juan, como algunos
simplemente a persistir

YENDO A BENOA

Yendo a Benoa
pasando por Salgari
los arrozales, espejo del crepúsculo
los perros ulcerados de Kuta
que silenciosos, como si supieran la reencarnación que
                                        [les atribuyen
«los ladrones vuelven a Bali como perros»
se lamen el mar pero me dejan la Cruz del Sur
los ojos de precisión de las danzarinas, suspiradas
                        [muñecas *Marilú* que nunca tuve
las carretas de bueyes javanesas
y flores del pelo a los pies —si no en Bali flores, dónde?—

porque ahora estoy yendo, viniendo de Benoa
y la Isla de Tortuga
en un destartalado bemó que tiembla y se estremece
y me desmayo, crezco y recupero la perezosa, húmeda
                                        [lujuria
de la noche pasada, la que vendrá

tres veces por día ofrendamos los frutos de la tierra para
                        [complacer a los dioses

con la esperanza de multiplicar por tres los vehementes
[orgasmos de Benoa
mientras el atardecer abre tantos planos como rayos de
[pavorreales
y me faltan ojos y manos
para guardarme la lluvia, el bote malayo, los fermentos
de malaria, las riñas de gallos con el espolón mortal,
el Ramayana, el Ecuador y la de entonces; historia
[del francés.

(de *Partir, digo*)

MARES

*

Cuando lo conocí hace veinticinco años, el mar quedaba frente al casino de Mar del Plata; las olas y yo éramos altas, rumorosas y espantadizas y los vulgarísimos leones de piedra de la rambla presenciaban con los piropos el comienzo del juego continuo de acosado acosador.

En la otra ribera también había un casino llamado de Carrasco; las aguas eran más azuladas y calmas y los caracoles recontaban historias para las colegialas que se dejaban amedrentar por los libros, los besuqueos y las religiones. Generosa, la Cruz del Sur se hacía cargo de las fantasías concebidas durante las largas horas de dormitar al sol: quiero decir, el encuentro maravilloso que volcaría definitivamente el fiel de la balanza hacia la exaltación y la felicidad.

Después vino el largo merodeo por los Andes hasta Guarujá, la descubierta, que mi memoria empecinada ubica en sitial de soberbio privilegio recordando en las

arenas la presencia que compartió con mis ojos la vas-
tedad de esa playa donde por entonces yo amaba a
Iemanjá, diosa del mar el dos de febrero, amaba a mi
hombre entre los nombres, amaba la sábana blanquísi-
ma del horizonte abierta a la sola urgencia de tenernos,
detrás del sudor y los tambores del umbanda, las caipi-
rinhas, las maconhas, las riñas y margherite duras que
no había visto nada en hiroshima, y tus ojos enrojeci-
dos de ira temprana de desesperación de hambre y de
pobreza, tus ojos de apoyar la ternura del mundo sobre
mi hombro
oh riberas del atlántico, fósiles vivos en mi lengua
y en mi sangre
cuánto, cuánto os amo todavía!

**

Enfrente, la mano tendida hacia donde vos ya no me
veías pero yo te recupero, estaba el castillo de San Jeró-
nimo.

—Adiós, adiós—, querrá decir para siempre, lugar
donde me parieron, estuario mío donde crecí los anhe-
los más violentos y las más dulces torpezas?

Puerto, puerto de los Buenos Aires que me desandaste, mi mano crece en el abrazo de largas corrientes cálidas y nutricias, y te tengo dentro y es lo bueno; mientras el castillo de piedras relucientes se queda en las postales y me resbalo ya al Mare nostrum que piso de la mano del andaluz fascinado por la tela de araña de mi insolencia y todo el ron del cielo fermentado de confusión y de deseo hasta que tuve que seguir adelante y él se quedó batiendo palmas por soledades, un modo desdeñoso y arrogante de recordarme, de ignorarme.

Y vino el mar de Éfeso, con cabras, pastores, estatuillas, Heráclito y vos, cada vez más lejos de mi río, de mis ocasos, tormentas y miserias.

Y la iluminación del Tiberíades, las piedras de la sed, las capricornianas piedras de los cristos y la demencia, pero ya el cáliz estaba roto y los anillos sumergidos en las proas dormidas donde anidan los minotauros y atlantes del silencio que jamás devolverán la sortija que nunca nos pusimos pero que seguí buscando por las fabulosas playas de los tirrenos y los jonios y también en la estela de gaviotas que persigue a las almas de los marineros que no pagaron las putas en el Cabo de Buena Esperanza donde el mar se estremecía hasta la entraña para que yo viera desde el fondo que no se juega con fuego.

Ahora en tanto divago por los mares de los piratas, los hexagramas mutantes en el lomo de las tortugas, las bailarinas javanesas de uñas elípticas para rascarle el cuello a dragones somnolientos de dulce vino de palma; o por este mar de Japón negro, rocoso, turbio, sólo testimonio de la soledad en que evoco los mares de mi tránsito, la mañana del nueve de agosto de mil novecientos setenta y nueve en la que mi cachorro Tango y yo, a mis cuarenta años y en el uso tal cual tengo de mis facultades hasta hoy, saludamos las aguas, conmovidos.

(de *Partir, digo*)

De Provenza

Amo las ciudades de los otros
partidas al medio por un río
cada orilla con sus particulares ambiciones y desaliento
un segmento del Ródano que aquí pronuncian ron
como la repetida onomatopeya de animales,
diz que domésticos, extraviados de cariño y la bebida
[isleña del Caribe

Ciudad ésta, Arles, de comerciantes y burgueses
de profesiones llamadas liberales, que de apertura,
tan sólo una estrecha, irrespirable grieta en la sesera,
con algunos árabes para los trabajos que repugnan los
[nativos
y turistas sin sol ni mistral,
en suma, de menosprecio sin remedio al extranjero.

Conozco, por arrastrarme en trechos crepusculares
algunas de sus barandas de pocos rostros,
uno, por ejemplo, asociado para siempre a dos gatos
de un viejo inmóvil con boina y cigarrillo
los gatos parecen dorados
como le gustaban a un amigo muerto

cerca de mi extraño río cuya ciudad
vaya a saber uno por qué, le vuelve el lomo
a sus quimeras.

Amo también detenerme a divagar
ante las heridas y transformaciones
de los muros expectantes
erosionados por pasiones graves
ya que las paredes huelen siempre a notarios
herederos y enemigos.
¿Clausurarán por eso tanto las ventanas?
¿Querrán guardar todo el odio para sí?

El *Hopital Dieu* donde Van Gogh y yo dormimos
huele aún el aire de orines y de incontinencia de los locos
[y los muertos;
nuestros vecinos se retuercen las manos de pesadillas
y la calle principal se ha cubierto
de saldos y servilletas agusanadas
de todos los Mac Donald's del mundo, uníos.

El Puente de los Leones, roto por modernos cataclismos,
conservará una imagen de último abandono
porque ya nadie cortará jamás oreja y rabo en nuestro
[nombre,
tal vez, con cuidado en el espejo de las furias

unos pocos pelos, inoportuno recordatorio de naufragios,
torpezas y ternura que tenaces persisten, bajo las
          [palmeras salvajes de aquella, única nariz.

El Ródano se deshace entre mis manos
y los olivares recortados
de este poblado mediterráneo
evocan lo mustio y perecedero
de todo afán.

Las semillas de girasoles
que adoran las cacatúas blancas
de las fábulas sangrientas
los girasoles, los girasoles
bah

                (de *Cortezas y fulgores*)

CREMA CATALANA

En Gerona deletreé nombres de pila
en antiguas lápidas hebreas
vi el milenario tapiz, impresionado hasta mi muerte
con sus emblemáticos vientos y azules persistentes,
me brindé a las intimidades, estragos y rechazos
que suscitan los apasionados roces entre visitantes y
                                                    [anfitriones
con quienes cambiamos fugaces nomenclaturas
de muertos que remiten inexorables a otros muertos,
más podridos, feroces y privados.
Los silencié atravesando como pude la trampa de espejos
                                                    [deformantes;
pretendí ahogarlos comiendo y bebiendo, tal vez más
                        [de la cuenta, especialidades de la casa
y acabé sometiéndome a la visión del mismo filme,
que produzco siempre   [cartilaginoso e informe
en las fatigosas paralelas de las autorrutas.
Entre las manos quedo con este rostro abotagado,
tiñoso y marchito en el que me reflejo
y con la dolida y perfumada vara de la palabra *desconegut*,
                        [desconocida, palpitando en el regazo.

(de *Cortezas y fulgores*)

Más sol en la jornada

en general el color de pekín es gris pizarra salvo en el
palacio imperial que los ladrillos están pintados de
[rojo laca

la tierra es arenosa de un color café con leche chirle y
[por todas partes hay polvo polvo y polvo
están apareciendo manchones verde tierno y pespuntes
blancos de magnolias cerezos y ciruelos porque
[empezó la primavera
y me voy a dar el lujo de estar triste por razones
[estrictamente sentimentales
entonces diré que volví a soñar con juan
y eso no pone diremos que precisamente más sol en la
[jornada

que tengo ausentes como para surtir una tienda de
[abarrotes
que mando a lavar los pantalones con terrones de azúcar
en los bolsillos y a lo mejor cuando me los devuel-
van lavados se me endulzan las nalgas y amanezco
con los huesos blanqueados por la marabunta y
[muerto el perro se acabó la rabia

que los presentes linyeras del amor se enfilan a toda
[prisa en el cuarto de los ausentes

y un día de éstos me voy a poner a tejerles bufandas de
baba del diablo o a jugar a la rayuela un día de éstos
me voy a poner a sollozar a mares en el cordón de
la vereda mamita mamita y a tomar sopa con ruido
a dejarme la cuchara en la boca y juntarme con la
loquita egipcia que corre a la gente por la calle di-
ciéndoles *missis missis I didn't sleep at night* pacífica pacífica para que no me pongan un chaleco de
[fuerza como los que tengo vistos en las películas

porque ya no podré jamás escribir poemas a lo aimé cé-
saire con tantísimas esdrújulas con soles radiantes y
bucaneros que descubren tesoros con doblones
sangrientos y escolopendras y hojas de plátanos
como barcos y abrazos esplendorosos de jóvenes
negros como el diamante que te abren el alma arco
iris pompa de jabón con la mirada en las tierras fer-
[mentadas de germinaciones y podredumbres

mis universos son mucho más reducidos entrarían en
una pequeña hoja de block cuadriculado de una
[sola línea

anoche soñé con juan que no era pero era juan

y me siento como si cada uno me hubiera regalado aquí
[un grano mil millones de granos de arena de tristeza

y eso no pone diremos que precisamente más sol en la
[jornada

(de *Partir, digo*)

MEMA DE MEMO

cosas para hacer en otra vida
antes de que me olvide
como en ésta

darle una patada en el culo a más de cuatro
ir a un concierto de rock tan fumada
revolear un gato por la cola
patear tachos de basura en la madrugada
bailando puro trompo
borrachita de amor

(de *La Parca, enfrente*)

EL MOÑO DE TAFETA CELESTE

1

Me olvidé cómo se come tierra
    (recuerdo sin embargo los dedos en el granito de la
    rapada muchacha de hiroshima mon amour, los de
    comer mermelada en portiere di notte y los de re-
    beca en mis quinientos años de soledad)
pero cuando nací los lirios del jardín ya estaban crecidos

los osos de trapo cayeron por el eje de la tierra
y flotan en el universo atraídos por algún hoyo negro
los bucles sirvieron en cambio para trenzar anillos de
                                    [hadas
de vientos graciosos
to remember me by
el tiempo de inocencia
cuando las manos eran tiernas, ligeras y pequeñas
como los dedos de la planta de los pies

la nena de moño celeste cruzó el umbral y no se detuvo
hasta ahora que la estrecho contra mi corazón y le
                                    [acaricio

las crenchas desgreñadas y le beso la boca sin dientes
con mal aliento y le lavo los pies que tienen un olor tan
fuerte que cualquier otro vomitaría en mi lugar

qué aprendiste recorriendo los dos círculos, paloma
mascando lagrimones y bizcochitos de grasa, de sémola
                                        [y de trigo?
rumiando hierbas en los cuatro estómagos sagrados?
cuántos millones de mosquitos te picaron la testuz?
cuánta sarna, pichón!
que no se diga, el discurso es tan gutural que los próceres
de la patria se avergüenzan, renegándote
tanto orín, tanta mierda, tanto alons sanfán de la patrí
tanto hanón, pischna y claro de luna, suite bergamasque
para esta deplorable presentación en sociedad

2

por la piel del cisne en el charquito verdoso del zoo de
palermo resbalaron el quinto quinto regimiento, rum-
ba-la-rum-ba-la rumbambá, las lunas, aceitunas y jacas
negras de lorca fusilado, el ala izquierda de los movi-
mientos nacionales, las anfetaminas; qué regalo le hizo
alemania a rusia en un tren blindado?, lenín, sí lenín y el
punto del oro, señorita; los besos de plaza francia, las

tomas de la facultad, la loca poesía de la primera cama
de hotel, la primera maconha, la primera borrachera, el
primer vómito, el primer suicidio, el primer barco, la
primera medalla de papel canson, de níquel, de cobre y
el primer avión aflójala que colea; ariadna —no jasón—,
llevó el ovillo tan lejos; la madeja no se termina por
ahora pero, aunque pretenda ignorarlo debo reconocer
que se ha ido adelgazando en forma irremediable; el
cisne sigue embuchando el caldo verdoso del estanque
y las galletitas con formas de animales; de vez en cuando le tiran esas que tienen un baño de azúcar rosa que
los franceses llaman fondant

el zoo cierra a las seis

3

el lejano oriente es un gran corralón de madera fermen-
tada, pero *il compagno* de «me llamaban pablo porque
tocaba la guitarra» no le prende fuego

4

mbucuruyá / langostita verde
bichito de san josé / bichito de luz:
DÓNDE ESTÁ DIOS? / DÓNDE ESTÁ DIOS?

5

en el cuento cordero a la hamirstan cada tanto desapa-
rece un comensal, el cocinero lo adoba y los otros se lo
comen hay pulpos que hacen lo mismo se van devoran-
do los tentáculos para ir tirando

y asimov sigue haciendo gráficos sobre la relatividad de
los suspiros

6

la nena que yo estaba abrazando se metió por mis corrientes con moño y todo, mis deltas no podían hacer
otra cosa que aceptarla

chupo el moño dulce como una madreselva y lo tiro a
modo de ofrenda en el barroso lecho de la costanera sur

me paso el plumero
caliento el motor y la quimera, la esfinge, la garza,
el cisne, la rana, la cigüeña se echan a volar.

(de *Partir, digo*)

FIN DE POEMA

la mañana crece de separaciones
alza vallas que la humedad de la noche
había destruido con precariedad
la mañana planta garrochas de no pasarán
y hay un fango desconocido entre mis calles
mis palabras avergonzadas, mis viejos modos de morir

los animales han recibido las señales de los cuervos y las
palomas no deben comer en las plazas públicas de manos de los forasteros sin nombre, sin destino sin ries-
gos, sin palabras para cambiar como vidrios de colores
en el mercado de las piedras negras y sin inscripciones
para grabar corazones heridos de muerte en las cortezas de los árboles y tatuar nombres para que los viaje-
ros de una hora incierta sepan que alguien ama a alguien y quiere que después de tantos siglos alguien
vuelva a saberlo.

en las fábulas ilustradas los bosques al oscurecer se alar-
gan en pinchudos fantasmas de ojos enormes que ate-
rran a los niños que deben atravesarlos de parte a parte
en comisiones absurdas y con cestas de víveres ajenos;

pero mis árboles son así de día, de noche se están quietecitos y amables, mientras me aferro a ramas debilísimas por si detrás hay un tronco y dentro está la savia de la verdad, pero sólo encuentro indescifrables jeroglíficos y diestros shiringueiros que recolectan todo el caucho para otros fines, se arrampican como monos hasta desmantelar la foresta pero el idioma vegetal viaja en otros planos y yo divago por divagar las torpezas que querría refrescar a la sombra de los baobabs en espera del santón indio que con sólo mirarme barrerá los deseos, lavará la memoria y hará perder mis rastros dentro de mis propios laberintos y olvidaré también todos los lenguajes y gemidos y espejismos y remansos y no me moveré nunca más.

que tengo miedo de saber quién eres
que tengo miedo que no sepas quién soy

háblame pues quedamente de la ayahuasca que me duele de raíz porque me abre el fervor de la tierra a la que creí pertenecer, que amo todavía hasta mi crispación última, pero que no supo conservarme

la misma razón que vale para haber estado contigo sirve para no estar, el sí y el no de las sombras curvadas en las trígonas monedas del I Ching

—la sal en la selva tiene gran valor— repetiste, y yo veía deslizarse ante mis ojos, vez tras vez, las mismas llamas de los andes, enjaezadas de colores con los panes de sal color caramelo al lomo; y sé que lo confundo todo sin remedio, la jungla con la montaña pero las llamas no, que son las mismas y bajan incesantes la misma cuesta todos los días de mi vida mientras yo sigo lamiendo el mismo pan de sal por los siglos de los siglos

y viniste a tokio para hablarme del Juan Santos Atahualpa que se fue con el humo y como un orfebre cuidadoso que tuviera el metal más noble entre las manos, desbrozarme de escarcha el corazón

cada uno de nosotros compartió a modo de botín dos colores para conjurar los huesos cuando se estremezcan por algún escalofrío pudoroso y balbuceante pero esplendoroso como luz mala avistada por las pampas del desorden

diré que te abro los brazos en alguna onda de luz que no regresará a su arco, una onda anárquica siempre se filtra entre los ángeles para que se origine el caos, se desencadene la historia y prometeo pueda andar robando fuegos y soplando narices saltemos a la cuerda, cantemos rondas sobre el puente de avignon, vendémonos los labios y volemos suavemente en el vacío que después de la caída hay un país verde; núbiles aguateras sacian los ojos del sediento y le curan las heridas con bálsamos fragantes, luego te dejan las piedras mágicas que permiten entenderse con las bestias, te montas en el unicornio, atraviesas las constelaciones y ya no existe otra cosa que la dicha, sólo la partícula de aire que es nada

las ganas de morirse las ganas de vivir se funden en la misma corriente dulcemente

me he resistido tanto a la simpleza, tanto tiempo para liberar a los guisantes de la vaina
tengo tres guisantes en la palma de mi mano; tres guisantes verdes, tiernos, sin destino: uno para saber, uno para comprender, uno para olvidar saber y comprender

pero me hacen mal los relojes, me despiertan los dolores estoy alerta ante la vergüenza que significa dar un hachazo al centro de cualquier ser vivo y no saber hasta el instante demasiado tarde del después si dentro estaban las gemas de la maravilla o se trataba apenas de unas vísceras mustias, tibias y modestas; pero es por la brevísima esperanza de ese único instante que el resto merece ser vivido

en algún lugar del mundo en estos momentos otello se
está pintarrajeando la cara de betún para fingirse celoso
de desdémona
mimí repetirá entre toses, llanto y nieve parisinos
«sempre tua per la vita»
mientras yo, decididamente sin cambiar de género,
opto por el bando del dragón y nunca jamás por el de
san jorge

la gentileza de las fábulas llama malévolamente a la
puerta de mi casa diciendo que en estas ocasiones en los
libros de caballería se acostumbra que a las doce y cuarto me confirmes la validez de mi presencia en la irremediable nadería de esta historia; y yo no le cierro la puerta en las narices a la ridícula perversa, dejo que me
pique el brazo, me venda manzanas que se pudrirán en
los cajones, y los marineros que me conocen las mañas
tienen que amarrarme para que no caiga de hinojos a
suplicarle a las sirenas y me engulla con avidez los me-
junjes de la circe que al menos me hubiera convertido
en jabalí que no quiero ser mansa

las pavesas ya entraron en la piel y no sé de qué sirven
las estrellas en la sangre ni los cristales ni los peces de
colores ni los lotos muertos de tedio ni los jaguares
montando guardia en las esquinas

hay espigas maduras y amapolas inclinadas en la opu-
lencia de los viejos itinerarios

la misma simiente volvió a germinar el mismo sitio para
que le conozca toda la fugacidad del paso

destinatario del sello del ceremonial y del silencio
cómplice fugaz de tanto desaliento
tiro los dados por obligación del rito
y no tiene importancia que comprendas

de todas maneras la judía errante parte con su alforja de
nimiedades y fruslerías por el estrecho sendero de la
luna; tiene miedo de una hoja de otoño, del nombre de
los vientos, de su incapacidad para leer las brújulas,
de seguir andando; dime por qué no se detiene y espera
que salga el sol, lo sé, el terror sería el mismo, pero a todas luces, perderse a caballo, lentamente de espaldas en
el desfiladero, en silencio y con las sombras, es buen fin
de poema.

Tokio, noviembre 3 1979

(de *Partir, digo*)

CANTILENA DE LA BRUJA RUSA

Coman de mi mano
palabritas
pero no dejen de ser
salvajes
radiantes
y precisas.

Coman de mi mano
palabritas.

(de *La Parca, enfrente*)

III. LAS VÍSCERAS DE DIOS

LAS VÍSCERAS DE DIOS

Sé que va a venir y me apresto para la batalla
te noto, vecindad del poema, te noto en las cosas que se
[alejan
en que todo puede postergarse menos esto
es esta habitación, es esta palabra
soy yo desde que he nacido
con cada una de las cicatrices que dejaron los rostros en
[mi vida
con cada uno de los días que no volverán a repetirse
cada palabra que se pronunció
y cada una que dejó de pronunciarse
todos los sueños olvidados
las remotas señales de la divinidad
las serpientes que a uno le devoran
o, en las grandes épocas de sol,
que uno suele devorar.

El poema, esta Gran Ópera donde no faltan las marchas
[triunfales
los puñales de hojalata
los anillos con fondo secreto para guardar el veneno
las traiciones

las pelucas
los sonámbulos
los divos
los dragones de cartón
los verdaderos dragones
los polifemos con su único ojo recién vaciado
deus ex machina
ven conmigo Dios a recorrer el mundo
ven a este cuarto
y te mostraré lo que es el poema.

(de *Babel, Babel*)

ALUD EN GALES

A Graciela Galán

Había un corazón de casanova, un corazón asesino, un corazón navegante, falsificador, profeta, músico, un prodigio de la técnica o de la metafísica, un corazón de dylan thomas, el de algunos que serían mineros tan diestros y agobiados como sus abuelos, y tal vez se encontraban allí los corazones de las que con el tiempo serían sus mujeres.

Tan desolador y lejano como un libro con lágrimas de
[pompeya,
tan oscuro como el silencio de la isla de pascua,
tan leyenda como las historias de la atlántida,
con la leve diferencia de que ahora en un lugar para mí
tan remoto como los otros hay hombres y mujeres enlutados removiendo con sus uñas los escoriales que
hasta hace apenas unas horas fueron su principal sustento y que más allá de la desolación lo arrasaron todo
con su lava negra, fría y silenciosa sin reparar en que
el pequeño john sabía ya contar hasta cincuenta, que la
graciosa mary cantaba en el coro de la iglesia, o en que
la madre de pamela no podrá tener otros hijos.

La muerte les dio la última clase antes de las vacaciones de invierno y les dejó todavía unos minutos libres para que tomaran su merienda, no sea que pasaran hambre en el gran viaje. «Aprendan de mí, queridos —les dijo brevemente—, soy una maestra justa, no tengo preferencias, no me importan religiones, dinero, belleza, debilidad ni inteligencia.»

Para escuchar la clase magistral los santos inocentes del pequeño país de gales y de la más pequeña aldea de oberfan debieron interrumpir sumisa, inmediatamente, cada una de sus tareas; es decir debieron dejar de lavarse las manos, robar un pedazo de tiza, hacer pis, abandonar la explicación de la raíz cuadrada, el comentario de the nithingale and the rose, debieron dejar de abotonarse los zapatos y de repetir a coro los diez mandamientos.

Yo, en silencio, trataba de decirme que si seguimos vivos es sólo por nuestra capacidad de olvido, que el dolor ajeno es prodigiosamente irreproducible, que también nuestros dolores ya son recuerdo y nada ni nadie podrá hacerlos aflorar porque de lo contrario todos los sobrevivientes de oberfan no podrían beber siquiera una taza de té.

Pero cómo digo
y cómo dirán hoy los sacerdotes en todas las misas «Él
         [es justo», cómo entender esta elección
y cómo tuve coraje para hablar del tiempo, hacer el
                 [amor, ir al cine, reírme.
Y Dios tan lejos.

(de *Babel, Babel*)

Invocación a María

A Daniel Pires Mateus

salve de la intemperie madona de las rocas
del cemento y los ventanucos de los edificios más altos
salve señora de los malos pensamientos
señora de los deseos ocultos por la vergüenza
madona de las ciudades
y de los altares en medio del hollín
madona loca que vagas en los hospicios
con un muñeco viejo sucio diciendo que es tu hijo
tú la que te arropas con periódicos
y mendigas un poco de tabaco en las escaleras de los
                                                    [subtes
tú a la que despierta en los bancos de las plazas y
                                                    [estaciones
el insulto soez de los policías
tú que hablas sola por las calles
mientras los caminantes te abren paso
porque te tienen asco y sonríen entre sí con complicidad
tú que recuentas las monedas para una medida de alcohol
                                                    [ruin
y has visto desde dentro

cada uno de los lupanares más abyectos
tú la llena de gracia
ampáranos ahora y en la hora de nuestra muerte
amén.

(de *Babel, Babel*)

Más Chagall que Chagall

Es cierto: muchas ciudades conservan
nostalgiosas callejas de antiguas juderías
pero nada como Mea Shearim para perderse,
embriagada en sus rancios olores,
en la historia de los lugarejos todos,
anónimos y perdidos de la Europa central.

Un suburbio que el tiempo voluntariamente olvida
para que uno pueda reconocer que tal vez descienda
de esos levitones lustrosos y sucios,
de esas caras que rehúyen el sol
de esos pepinos, agrios pescados y cáscaras de naranjas,
de esa puerta estrecha, entreabierta lo suficiente
como para filtrar una barba cana y el sonido de un violín,

de esas trabajosas, regateadas transacciones,
de la copita de licor con que la casamentera
promete encontrarte formalmente el marido o la mujer
antes de que sea demasiado tarde
de esa salmodia que balancea su torso con cierta rítmi-
    ca iracundia ante un rollo de papel amorosamente
            [arropado en violento terciopelo,

de esos extraños galerones que ocultan sudorosas cabe-
    zas por donde asoman labradas guedejas rojizas o
                                            [cenicientas,
de esos hombres que desvían su paso y su mirada al
                                        [cruzar a una mujer,

de esas pálidas, antiguas niñas,
del daguerrotipo viviente de esas jovencitas
que musitan un idioma suspendido, confuso, trasegado
de todos los lugares donde sus padres y los padres de
                                                [sus padres
fueron castigados
por esa obcecación con que guardan sus vestidos,
cuecen sus dulces, pulen sus diamantes,
repiten sus oraciones
y, estoy segura, día a día
intentan fabricar secretamente
un golem que mitigue sus pesares.

(de *El diván de la puerta dorada*)

A VEINTE AÑOS DE AUSCHWITZ,
BERGEN-BELSEN Y LOS OTROS

Dónde guardarán el alma los algarrobos,
los pinos o los alerces?
Dónde sufrirán a Dios?
En qué lugar alguno de triste corazón
buscará el suicidio?

Cómo vivirán las estaciones, la enfermedad,
el amor, la locura, la muerte?
Con qué lenguaje expresará el silencio
la vejez de los árboles?

Cómo hallar vuestra lengua, me digo,
cómo saber de vosotros la verdad
—porque también habéis sido testigos y por tanto
[cómplices—,
cómo sacudir este sopor,
cómo limpiar nuestras raíces,
cómo recibir el sol con este alma empozada,
con el hierro, la memoria y tanta sangre olvidada
y peligrosamente muerta y viva entre las manos?

(de *Babel, Babel*)

Negro el diecinueve

El tipo de Jaffa enloqueció la prolongación última de su brazo armado de un cuchillo hasta metro y medio de odio puro sin respiro levantar y bajar la mano diecinueve veces un tendal de adolescentes continúa la carnestolenda celebración en el amoníaco de los hospitales el valor numérico del dieciocho es el número sacrosanto de la vida

Una soga retorcida para los limpiavidrios colgados del vértigo insalubre para que a mis ojos el dorado cobrizo refleje mejor la arquitectura contemporánea exige éstos y más ardidos sacrificios sobre todo de los extranjeros y en la calle Yonge de Toronto escucho dos eructos imborrables emitidos por Pavarotti Luciano en un aria de Puccini que no enjuaga el pañuelito de encaje de su mano y veo mis primeras ardillas trotando por el lomo de un jinete del apocalipsis pero no distingo cuál

En remota atrabiliaria Buenos Aires vuelan escombros de una escuela un asilo de viejitos la embajada de Israel la segadora se refriega las manos qué delicia qué guadaña qué día

(de *La Parca, enfrente*)

Derrota Tiananmen

la luna perdió siglos en Pekín esta mañana

esta mañana

la luna   (el sol, las estrellas, las piedras todas de las
               estelas, las brújulas, el torno y el horno de
               cocer la terracota, la cresta en llamas de los
               pájaros, los rayos y centellas de las bicicletas
               y la última mota de polvo que ocultó la uña)

en Pekín   (laca brillante de la Ciudad Prohibida, un
               rumor de falanges, falanginas y falangetas,
               un cortejo de bubones y de ganglios estalla-
               ron en Pekín, Pekín, la sanguinaria)

perdió   (los huérfanos granos de arroz abandonados
               entre los restos humeantes del Museo de la
               Larga Marcha y la luna que riela el capri-
               choso trazado de la Gran Muralla por fide-
               lidad al único monumento que desde su le-
               jos y de nuestro tiempo le atestigua el sudor

y lágrimas del hombre, de asco y de vergüenza olvidó en el fragor del dolor)

su madrugada

¿cuántos siglos perdió la luna en Pekín esta
mañana?

(de *La Parca, enfrente*)

JERUSA DE MI AMOR

en jerusa los días son largos y desde que amanece, la
                                    [gente, como sea,
quiere meterse y lo consigue
dentro de la película de acción
los cowboys en el medio oriente escupen semillitas de
                                    [girasol, a cuál más lejos

en el jardín uno puede toparse con erizos o puercoespines
y en la propia cama con escorpiones, así en la tierra...
para más inri, a allen se le ocurrió esfumarse en
                                [primavera, durante una tarde
jeroso limit ana
allen, que se fue de aquí sin convencerse ni convencernos
de que *su madre que lo quiere, naomi,*
haya sido cierto

mientras
todos gritan
cuando no aúllan, incluidas en sitial privilegiado, las
                                    [piedras.

las cigüeñas apuran por irse y confunden los envíos,
vírgenes y monjes célibes, anacoretas y guardianes de
[los templos
pagan el pato,
se descuenta que nos, el resto, también,
nos, los pagadores de diezmos, platos rotos, los donantes
[de sangre, huesos y sesos.
entre bocinas, alarmas verdaderas y no tanto, timbrazos
[imperativos de teléfonos
vacíos
prosperan flores silvestres y me debato, a capa y espada,
[a golpes feroces
de rascar mi sarna a lo marat, entre las/los charlotte
[corday, zelotes, esenios,
alambrados,
todos armados, menos de paciencia

cuántos ayes, jerusa de mi amor
hoy hacia la madrugada vi llover de prisa unas gotas
[avergonzadas
que escamotean amapolas brillantes al desierto entre los
[pendientes de la cola
sedienta,
lechosa, del cometa hale-bopp
que pregona, empecinado
tonterías milenarias.

al anochecer se apersona en el hotel entre espigas des-
cosidas de cenas y brindis literarios, un señor de aspec-
to saludable y optimista que dice que debo reconocerlo
como de mi familia y me cuenta para que lo incluya, a
su pedido, en mi próxima novela que uno de mis primos corre desnudo por las calles de rehovot y cuando
lo encuentran, dice: —vamos a lo de mamá—, y le repiten que mamá murió hace mucho pero mucho tiempo
como décadas y más décadas en remota buenos aires y
él se pone a sollozar —no me digas, no me digas—, y se
deja conducir, dulce, cansinamente a casa y mañana re-
comienza de nuevo a querer visitar a papá, y se quedó
de modo irreversible en algún barrio, desvestido, inmu-
ne a los vientos levantinos, jugando a las visitas con los
de la neblina
el señor se llama meir e insiste en relatarme sagas de en-
trecasa y de todos los días; la retoña de mi prima, la que
llamaban reina esther por bella y caprichosa compró una
pizzería con el que era casi su marido y en vísperas de
la boda lo dejó plantado pero se quedó con el negocio y
nosotros pagando todavía la hipoteca; como visitadora
social a estercita le tocaron las prisiones y terminó ena-
morándose de su preso favorito, un muchacho que an-
daba de reincidente por el mundo de las drogas, pero
muy buen mozo, no hay quien lo niegue y, cuando sa-
lió condicional, una tarde ciertos tipos lo vinieron a

buscar y nunca más se supo, y se la vio a la reinita ester
con foto a dos columnas en los diarios del país, luchan-
do para que los del rabinato la declaren viuda porque el
cuerpo del buenorro nunca apareció y quería casarse
embarazada de ocho meses con un contable para sentar
cabeza hasta que los rabinos dijeron que de acuerdo
pero que no vuelva a las andadas y es viuda legal y sa-
lió, dice meir, para arriba

en los manuscritos del mar muerto combaten entre sí los
            [hijos de la luz con los de las sombras

para renovado asombro de los estudiosos y el resto de la
            [gente de a pie, nadie tiene
nombre, nadie sabe ni puede diferenciar unos de otros
pareciera que ganaron por un pelo los de la luz
para convertirse, ya se sabe, en la sombra de lo que
                  [fuimos, somos y serás

camino con mi amigo, el poeta rami, mascullando dos-
cientos gramos de *etrov* abrillantados, desgranamos
cierta saludable malidicencia sobre colegas ausentes, in-
tercambiamos avatares de amantes y cada tanto, por rá-
fagas, nos embriaga el secreto de los escribas de quitmit
y de qumram, cuyas palabras pueden ser leídas por los
niños de primaria de hoy día pero la realidad, la respi-

ración, el revés y el derecho, el arriba y el abajo, no
ay jerusa de mi corazón, la de jesús y de jesusa, la de
                          [anémonas violentas y viejos
que divagan doloridos de incoherencia en el asilo tan
                                              [soleado

mi fascinación reciente, una poeta con nombre de dalia
                          [púrpura y oscura, que pierde
por vaharadas la razón pero encuentra sus gafas de sol
                                    [cartier que le gustan tanto
dice que hay que revisar el génesis, está segura que
                                [abraham nuestro patriarca
quería más a ismael que a isaac por eso no lo sacrificó,
de las mujeres, ni ella, habla salvo de su madre a quien
reverencia como maestra legendaria porque le enseñó
que el pueblo judío por ser singular y especial tiene la
obligación, mayor, de ser compasivo y yo contemplo
con espanto los estragos que tanto ídolo sangriento,
tantas espinas, tanta metralla, causan a la tierra, las
plantas y la gente

y qué decir del concepto de «elegido»
fuente donde abrevan las sinrazones todas
las injusticias
los cuadriculados, los pozos
los dameros envenenados, los duelos sin consuelo,

dalia te aparto, te compadezco, suavemente
y agito mi pañuelo de me voy

para pertenecer a la secta detallada en los rollos
había que tener nueve elementos exteriores evidentes
como ser pálido en tierras insoladas, dedos largos,
                                [complexión no sanguínea
y más, pero mucho más
con seis cualidades se ponía al adepto a prueba por dos
                                [años y, de ser bien
observado, pasaba a novicio, a servidor
de quién, de quiénes,
ah los avispados letrados de qitmit...
soberbias, magnánimas, las plantas carnosas de áloe vera
podrían calmar las quemaduras de este zoo y los
                                [restantes del sistema solar
la savia de los que vendrán espera
un mínimo apenas de confianza
esto es, la sal, el salem, el cardamomo, el rosmarino, la
                                [pimienta
el sexo de la vida

acá los aventureros vienen por marejadas que luego
        [catalogamos, sobriamente, por orden de alfabeto
qué/cómo/cuál
con *ése* fueron, por ejemplo, los alfanjes, las cimitarras
                                [de saladino y suleimán,

los minaretes, armerías, las victorias que se pudren en
[derrotas,
un amasijo sintético, animista y sincrético a ambos lados
[de la ruta principal
de herrumbres del 48, el 67, el día del ayuno y del perdón

para plantar en el desierto hay que lavar sin cesar la tierra
porque el mar al alcance de la mano se llama muerto o se
[hace pasar por tal,
que para el caso es lo mismo

en primavera la flor nacional es humilde y salvaje, de un
[rojo fulgurante
deja tras de sí un reguero flamígero y breve que desquicia
[los puntos cardinales
de la jerusalem celeste y salpica, chisporrotea desafuero
[en la terrestre

en el juzgado de paz asisto, vaya reiteración obsesiva
[con el término
a una audiencia donde mi hermano defiende, de oficio,
[a un joven que comparece
esposado de pies y manos ante el juez por haber
[extorsionado con cuchillo en
yugular ajena 100 shekels a un ciudadano pío y religioso
[para proporcionarse su

dosis que en hebreo es maná; como sabe que ochenta le
                              [alcanzan devuelve al
individuo veinte, quien más tarde lo reconoce y denuncia,
me guardo para siempre en el bolsillo izquierdo del
                              [corazón su andarivenir taimado
y apaleado, su mano de preguntar nada y también le digo
                                              [adiós
adiós.

me miran estos sedimentos de risotadas y matanzas
de taciturnidades ejemplares
me abro paso entre maullidos díscolos
geranios gigantes y retorcidos
me impregno de frituras íntimas y callejeras
de mosaicos
y finjo que me voy

entonces recibo de viva voz, una esquela
indispensable, enmarañada
que me cuelgo al cuello confeccionada
con perlas sombrías de antiguas lágrimas:
quiero que sepas que mamá te quiere.
Sonia.

Tivón, 14 de abril 1997

(de *Cortezas y fulgores*)

ÍNDICE

I. INEVITABLES HISTORIAS

II. PATCHWORK

III. LAS VÍSCERAS DE DIOS

QUEVEDO

Es hielo abrasador, es fuego helado,
es herida que duele y no se siente,
es un soñado bien, un mal presente,
es un breve descanso muy cansado.

OSCAR WILDE

Y todos los hombres matan lo que aman,
que lo oiga todo el mundo,
unos lo hacen con una mirada amarga,
otros con una palabra zalamera;
el cobarde lo hace con un beso,
¡el valiente con una espada!

ADEMÁS EN ESTA COLECCIÓN

ANA ROSSETTI

No había felicidad, sólo música había
que en el rasgado escote de la noche
una gardenia fuera.

JULIO CORTÁZAR

No me des tregua, no me perdones nunca.
Hostígame en la sangre, que cada cosa cruel
                              [sea tú que vuelves.
¡No me dejes dormir, no me des paz!
Entonces ganaré mi reino,
naceré lentamente.
No me pierdas como una música fácil,
                           [no seas caricia ni guante;
tállame como un sílex, desespérame.

POESÍA EN INTERNET

Consulta nuestra página WEB
y envíanos tus poesías
a través de Internet a la dirección:

http://www.tsc.es/p&j/poesia